CÂN Y DDRAIG

ROBAT ARWYN

CURIAD

Cynllun y clawr: Ruth Myfanwy
Cover design - Ruth Myfanwy

CURIAD 1042
ISBN: 978-1-89766-419-3
ISMN: M57010 394 2

Argraffiad cyntaf: Tachwedd 2000
First published: November 2000

Ail argraffiad: Medi 2011
Reprinted: September 2011

Argraffwyd gan Argraffwyr Cambrian, Aberystwyth ar bapur FSC.
Printed on FSC paper by Cambrian Printers, Aberystwyth.

Cynhyrchwyd a chyhoeddwyd gan:/*Produced and published by:*

CURIAD, Talysarn, Caernarfon, Gwynedd LL54 6AB

☎ **(01286)882166**
curiad@curiad.co.uk
http://www.curiad.co.uk

Cyflwynedig i Elan a Guto

CYNNWYS

Y GÔL-GEIDWAD

Cerddoriaeth: ROBAT ARWYN
Geiriau: SELWYN GRIFFITH

gôl._____ Rwyf wrth fy modd yn ar - bed_____ Y
pe - li gy - da'm llaw,_____ Neid - io i fy - ny'n
u - chel,_ A deif - io yn y baw.
fi yw'r ceid - wad gôl,_____ A fi yw'r ceid - wad

gôl,_____ Mae'r gêm bêl - droed ar gy - chwyn,_ A

fi yw'r ceid - wad gôl._____

Clywch_ y dyr - fa'n bloedd - io,__

'Bag la fo' me - ddai Glyn, A'r reff - a - rî yn

9

pwynt - io ___ Yn syth i'r smot - yn gwyn.

bloedd !

'PEN - AL - TI!' a min - nau, Yn cry - nu yn y

gôl,_____ Ond deif - io'n chwim a wnes i'r chwith,_ A

tha - ro'r bêl yn ôl. A fi yw'r ceid - wad

gôl,_____ A fi yw'r ceid - wad gôl,_____ Mae'r

gêm bêl - droed ar gy - chwyn._ A fi yw'r ceid - wad

gôl._____ Mae

mf *f* *mf*

swn___ y dorf fel ta - ran,_____ Yn at - sain yn fy

mf

11

nghlust,_____ Ar ôl im ar - bed er - gyd dda _ Rhag

my - ned rhwng y pyst._____ Ni fyn - naf frol - io

f'hu - nan,__ Ond wir mae gen i

ffydd,_____ 'Rwy'n siwr o fod yn gô - li,__ I

Gym - ru fach ryw ddydd.

A

fi yw'r ceid - wad gôl,_____ A fi yw'r ceid - wad

gôl,_____ Mae'r gêm bêl - droed ar gy - chwyn,_ A

fi yw'r ceid - wad gôl!! _____

13

CÂN Y DDRAIG

Geiriau a Cherddoriaeth: ROBAT ARWYN

He - no,_ mae po - peth ar ben,_ 'Rwy'n teim - lo'n ddi - ga - lon, Mae

cur yn fy mhen._ Sôn am dru - e - ni, ni wn beth a ddaw,_ Di -

-flan-nodd yr heul - wen Ac mae'n teim - lo fel glaw, Ar ôl im

syr - thio i lawr o fy ma - - ner,

Ba-ner gwyrdd a gwyn oedd yn chwi-fio fan hyn:___ Fi 'di'r

ddraig, un goch, Dwi'n en-wog trwy'r byd,_ Yn sym-bol o Gym - ru, Yn

15

falch - der i gyd, Rwyf yn ddraig go ar - ben - nig I'm de - wis fel hyn,___ I

se - fyll yn goch___ ar fa - ner, Ba - ner gwyrdd a gwyn.

He - no,___ go - fyn - naf i chi___ I

neid - io i'r ad - wy Ac a - teb fy nghri.___ Rhaid sef - yll yn da - log Beth

byn-nag a ddaw,_ Rhaid es-tyn eich dwy-lo I'm co-di o'r baw,_

A'm rhoi yn ôl_____ i sef-yll ar fy ma - ner,

Ba - ner gwyrdd a gwyn sydd yn chwi-fio fan hyn:_____

Fi 'di'r ddraig, un goch, Dwi'n en-wog trwy'r byd,_ Yn

17

sym - bol o Gym - ru, Yn falch - der i gyd, Rwyf yn

ddraig go ar - ben - nig I'm de - wis fel hyn,___ I

se - fyll yn goch_ ar fa - ner, Ba - ner gwyrdd a gwyn.

Fi di'r ddraig, un goch, Dwi'n en - wog trwy'r byd,_ Yn

sym - bol o Gym - ru, Yn falch - der i gyd, 'Rwyf yn ddraig go ar - ben - nig I'm

de - wis fel hyn,___ I se - fyll yn goch___ ar fa - ner,

gellir canu'r ddau nodyn ucha dim ond os oes digon o adnoddau lleisiol ar gael!

arafu

Ba - ner gwyrdd a gwyn.___

DATHLU

Geiriau a Cherddoriaeth: ROBAT ARWYN

Y - mu - no i ddath - lu,

Wna po - bol o hyd.___ Y - mu - no i ddath -

- lu, Ar draws y byd.___

Dath - lu pen - blwydd neu brio - das, Rhaid cael par - ti, coel - iwch

fi, Ar ôl ge - ni y ba - bi, Roedd 'na bar - ti yn y

ty! Bu - ddu - gol - iaeth tim pêl - droed_ Neu lwydd - iant côr y dre: Rhe - swm a - rall i ni gyd_ Gael dath - lu hyd y lle! Y - mu - no i ddath - lu, Wna po - bol o hyd.___

Y - mu - no i ddath - lu,

Ar draws y byd.___

Diwr - nod cyn - taf y flwy -

- ddyn   A gaiff groe - so heb ei   ail,

23

Ca - lan Gae - af fis Hyd - ref: Bydd ys - bryd - ion rhwng y dail! Dath - lu meth - iant Gu - to__ Ffowc__ A geir - iau De - wi__ Sant, Cof - io ge - ni Ie - su Grist_ a chôr o leis - iau plant. Y - mu - no i ddath -

mf

24

- lu, Wna po - bol o hyd.___ Y - mu - no i ddath -

- lu, Ar draws y byd.___ Y - mu - no i ddath -

- lu, Wna po - bol o hyd.___ Y - mu - no i ddath -

- lu, Ar draws y byd.___

SAWL GWAITH?

Geiriau a Cherddoriaeth: ROBAT ARWYN

Lly - gaid mawr du,___ a thrwyn by - chan smwt, O sawl

gwaith dwi we - di go - fyn am gi bach i fyw_ 'fo fi. Un

an - nwyl a dir - ei - dus, yn gwneud llan - ast hyd y ty; Un

don - iol a byr - ly - mus, mewn car - iad he - fo fi!

Un i'm croe - sa - wu'n ôl i'r ty 'rôl diwr - nod croes: Y ni ein dau yn ffrind - iau triw am oes.

Sawl gwaith? Sawl gwaith_____ dwi we - di go - fyn am gael ci bach i'w an - we - su yn fy nghôl? Ei

SGORIO GÔL

Geiriau a Cherddoriaeth: ROBAT ARWYN

Mae 'na gyff - ro ar y te - ras, Mae 'na floedd - io yn y dorf, Mae y gêm bêl - droed ym - laen! Mae 'na gic - io ac a -

Ni 'di'r go -rau yn y byd. __

Yn hwyliog

Mae 'na re - ffa - rî a chwi -ban, Mae 'na ben -al - ti a

chosb, Mae y gêm bêl -droed ym -laen! Mae 'na

da -ro'r post a me -thu, Mae 'na sgor -io am -bell gôl, Mae y

SEREN WEN

Geiriau a Cherddoriaeth: ROBAT ARWYN

Yn hamddenol ♩ = 86

Mae siff-rwd yn y dail,   Mae'n am-ser mynd i'r gwe-ly. Mae'r

dry-sau we-di cau,   A'r llen-ni we-di' tyn-nu. Mae huw-cyn cwsg ar ddod,   Ar

Mi go - daf am - bell nos, A stel - cian draw o'r gwe - ly, A

chroe - si'r car - ped llwyd, I bip - ian rhwng y llen - ni. Mae pob man mor ddi - swn, Pob

de - ryn bach 'di clwy - do Dim sôn am gath drws ne - sa: Ai fi di'r un sy'n eff - ro?

arafu...

arafu...

hetto!

36

37

Y PEDWAR TYMOR

Cerddoriaeth: ROBAT ARWYN
Geiriau: ROBIN LLWYD AB OWAIN

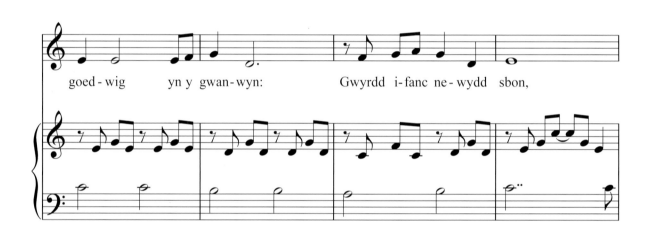

goed - wig   yn y gwan-wyn: Gwyrdd i-fanc ne-wydd sbon,

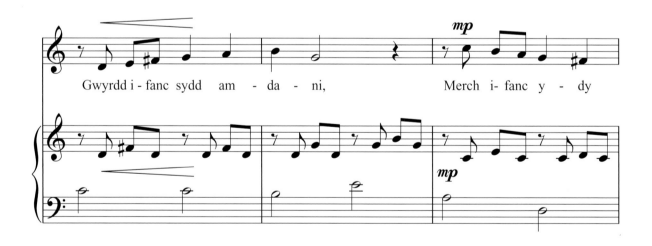

Gwyrdd i - fanc sydd   am - da - ni,   Merch i-fanc y - dy

hon. Y goed-wig yn yr haf - au: Mae'n ty-fu'n e - neth bert, Mae'n ty-fu yn oed - o - lyn, Gwyrdd ty-wyll yw ei sgert.

Y goed-wig yn yr hyd - ref: Am - ry - liw yw ei

choed,　Coch, por-ffor, brown　ac　o-ren　Sydd am ei cha-nol

oed,　A phan ddaw'r　gae-af he-fyd:　Mor wyn fydd gwallt ei

phen,　Mor wyn ag ei - ra　lon-awr:　Hen wraig mewn

co - ban　wen.

MAE 'NA FABAN BACH

Geiriau a Cherddoriaeth: ROBAT ARWYN

drwm. Mae 'na o - lau clir ar

fryn a rhos, Mae 'na o - lau clir yn llen - wi'r nos.

Si hei lw - li lw, si hei lw - li lw, Mae 'na o - lau clir yn llen - wi'r

nos. Mae 'na ga - nu mawl o

gylch y crud, Mae 'na ga-nu mawl ar draws y byd.

Si hei lw-li lw, si hei lw-li lw, Mae 'na ga-nu mawl ar draws y

byd, Mae 'na ga-nu mawl ar draws y byd.

YMUNWCH YN Y SYMFFONI

Cerddoriaeth: ROBAT ARWYN
Geiriau: SIONED MERI

Gri - sial ei - ra'r gae - af sydd fel clo - gyn gwyn,_

Dros y ffridd a'r ffo - sydd, lleu - ad sydd yng - hynn; Draw'n yr eg - lwys fe - chan,

Cwr - lid rhew y llyn - noedd sydd fel ar - ian byw,_ Coed y maes a'u cef - nau'n grwm, a bly - gant ger eu Duw.

A - wel fain sy'n siff - rwd, no - dau pêr y gân: Ca - nwn oll fel un am Ie - su'r ba - ban glân. Rhy - fe - ddol wyrth y ge - ni,

Rhy - fe - ddol wyrth y ge - ni, Dewch i weld y ba - ban Ie - su,___ Dewch cyd - gan - wch gy - da ni,___ Y - mu - nwch yn___ y sym - ffo - ni. Y - mu - nwch yn___ y sym - ffo - ni.

arafu

48

UN BUGAIL BACH

Geiriau a Cherddoriaeth: ROBAT ARWYN

fag-lu draws ei gi-lydd yn eu strach.___ Ond roedd 'na un bu-gail bach ar

ôl,___ Yn gwyl-io'r def-aid syn. Un bu-gail bach a'i

waith mor fawr, Yn gwar-chod god-re'r bryn.

Ar ôl cyr-raedd at y pre-seb a phen-

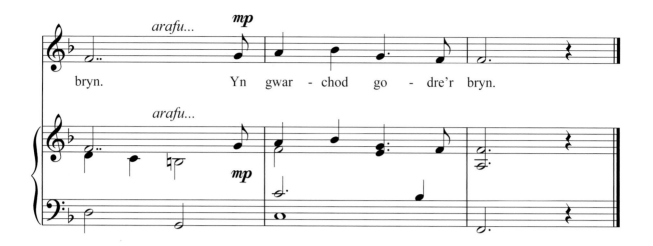

bryn.   Yn gwar - chod go - dre'r bryn.

CAROL YR ANGYLION

Cerddoriaeth: ROBAT ARWYN
Geiriau: ENID JONES

wan - llyd   yn y gwair: Hen - ffych, hen - ffych medd   yr

ang - el,   Ewch i Feth - lem   yn gy - tun,_____   Ewch i

gei - sio   y   Rhy - fe - ddod,   Duw mewn cnawd yn Geid - wad

dyn.

Awn, y - mu - nwn _____ â'r ang - yl - ion, Sei - niwn glod - ydd Bre - nin Nef, Nes y cly - wo pawb trwy'r gwle - dydd Am ei e - ni rhy - fedd ef. Boed i'r se - ren la - char hon - no Ddaeth a'r doeth - ion at y crud, _____ Roi ei

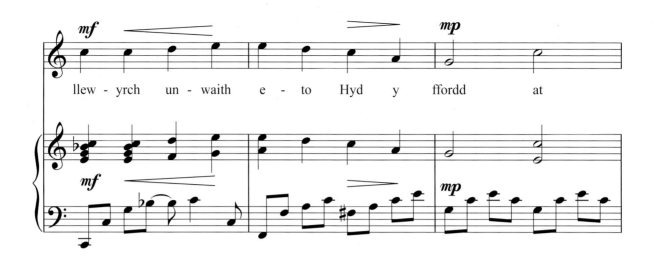

llew - yrch un - waith e - to Hyd y ffordd at

Mae rhyddid i'r diweddglo fod yn dyner ddistaw neu yn gadarnhaol gryf.

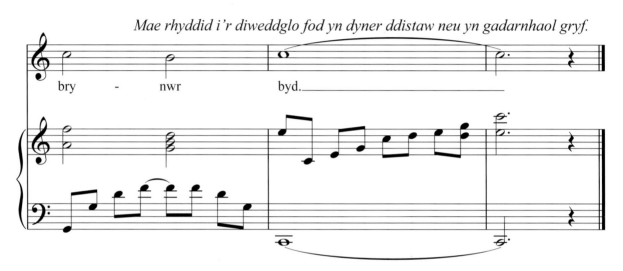

bry - nwr byd._____